# サラム音楽編

## みんなで歌おう

大阪市外国人教育研究協議会編

JN123679

ブレーンセンター

# も　く　じ

## 大韓民国で歌われている歌

## 合奏曲

〔☆印は共通、そのほかは大韓民国〕

## 共通に歌われる歌

## 朝鮮民主主義人民共和国で歌われている歌

＊曲の年代は1945年以前に作られたものにつけています。

　　この本は、日本の子どもたちがお隣（となり）の国の歌を歌うことができるようにつくったものです。
　　美しい歌を伝（つた）える朝鮮民族は、現在、分断（ぶんだん）されている二つの国を統一しようと努力をつづけています。

우리나라 꽃

박종오 作詞
함이영 作曲

少しゆっくり

1. 무 궁 화 무 궁 화 우 리나라 꽃
2. 피 었 네 피 었 네 우 리나라 꽃

삼 천 리 강 산 에 우 리 나 라 꽃
삼 천 리 강 산 에 우 리 나 라 꽃

## わが国の花

1. ムグンファ ムグンファ 国の花
   三千里 山河 国の花
2. さいた さいた 国の花
   三千里 山河 国の花

● ムグンファ(むくげ) ● ウリ(私たちの)

● ナラ(国) ● コッ(花)

《解説》 ムグンファ(むくげ)は大韓民国の国章にもあり、規定はないが国花といえます。夏から秋に次々に咲き続ける姿は、ねばり強い堅実さ、繁栄を象徴しています。日本の植民地時代に、たくさんのむくげの花を切り倒して桜を植えました。人々は「無窮花」と書いて、この花を抵抗のシンボルとしました。

三千里は、日本式にいえば三百里(約1200km)にあたり、朝鮮半島全体の南北の長さで全土を表します。

ムグンファのところにキムチなどちがう言葉を入れて、替え歌をつくりましょう。

## まだら小うし

1. 小うし　小うし　まだらうし
　　かあさんうしも　まだらうし

2. 小うし　小うし　まだらうし
　　耳も　まだら　かわいいな

少しゆっくり

ハク　キョ
학　교

金메리　作詞・作曲

1. ハクキョチョンイ　テンテンテン　オソモイ　ジャ
학 교 종 이　땡 땡 땡　어 서 모 이　자
2. ハクキョチョンイ　テンテンテン　オソモイ　ジャ
학 교 종 이　땡 땡 땡　어 서 모 이　자

ソンセンニミ　ウリルル　キダリシン　ダ
선 생 님 이　우 리 를　기 다 리 신　다
サイチョッゲ　オヌルド　コンブチャルハ　ジャ
사 이 좋 게　오 늘 도　공 부 잘 하　자.

## がっこう

1. ハッキョ　チョンが　テンテンテン　さあ行こう
　　ソンセンニムが　みんなを　待ってます

2. ハッキョ　チョンが　テンテンテン　さあ行こう
　　きょーうも　べんきょう　がんばろう

●ハッキョチョン(学校の鐘)　　●テンテンテン(カンカンカン)

〔1947年作〕

## 산 토 끼

作詞・作曲 李一來

1. 산 토끼 토끼야 어디로 가느냐
2. 산 고개 고개를 나 혼자 넘어서

깡충깡충 뛰면서 어디를 가느냐
토실토실 알밤을 주워서 올테야

## 山うさぎ

1. 山のうさぎ どこへ行くの
   カンチュン カンチュン はねて どこへ行くの

2. 山のとうげ ひとり こえて
   トシル トシル くりを ひろってくるよ

●カンチュン カンチュン(ピョンコ ピョンコ)　●トシル トシル(まるまるした)　〔1936年作〕

# 바둑이 방울

(パドゥギ) (パンウル)

김규환 作詞・作曲

少しはやく

**小犬の鈴**(すず)

1. タルラン　タルラン　タルラン
タルラン　タルラン　タルラン
小犬の鈴　かわいいな
学校まで　でむかえて
しっぽをふって　ついてくる
タルラン　タルラン　タルラン
タルラン　タルラン　タルラン
小犬の鈴　かわいいな

2. タルラン　タルラン　タルラン
タルラン　タルラン　タルラン
小犬の鈴　かわいいな
家の戸　ひらいたら
だれより　さきに　とびこむ
タルラン　タルラン　タルラン
タルラン　タルラン　タルラン
小犬の鈴　かわいいな

少しはやく

チャ ジョン ゴ
## 자전거

睦一信 作詞
金大賢 作曲

**mf** C / F /

1. 따르릉 따르릉 비켜나셔요
   タ ル ルン　タ ル ルン　ピ キョ ナ ショ ヨ
2. 따르릉 따르릉 이 자전거는
   タ ル ルン　タ ル ルン　イ チャ ジョン ゴ ヌン

G　G7 / C

자전거가 나갑니다 따르르르릉
チャ ジョン ゴ ガ　ナ ガム ニ ダ　タ ル ル ル ルン
울아버지 장에갔다 돌아오실때
ウ ラ ボ ジ　チャン エ カッ タ　ト ラ オ シル テ

**f** C / Am　G /

저기가는 저사람 조심하셔요
チョ ギ ガ ヌン　チョ サ ラム　チョ シム ハ ショ ヨ
꼬부랑一꼬부랑 고개를넘어
コ ブ ラン　コ ブ ラン　コ ゲ ルル ノ モ

**mf** G7　C / G7　C

어물어물 하다가는 큰일납니다
オ ムル オ ムル　ハ ダ ガ ヌン　クン ニル ナム ニ ダ
비탈길로 스르르르 타고온다오
ピ タル キル ロ　ス ル ル ル　タ ゴ オン ダ オ

じ てん しゃ
**自転車**

1. タルルン　タルルン　よけなさい
   この人　あの人　気をつけて
   ぐずぐずすると　あぶないよ
   じ てんしゃ　はし
   自転車　走るよ　タルルルン

2. タルルン　タルルン　自転車で
   か もの かえ
   とうさん　買い物　帰るとき
   くねくねまがった　とうげ道
   こころ
   心も　かるく　タルルルン

● タルルン(チリリン)

〔1931年作〕

9

### かえる

ケグル　ケグル　ケグリ　うたいます
子どもに　まごに　親がえる
声をあわせて　うたいます
夜は　われらの世界だと

ケグル　ケグル　ケグリ　うたいます
ケグル　ケグル　ケグリ　夜あけまで

●ケグル　ケグル(ケロケロ)

# 맹꽁이

輪唱

F

| 저 | 못 | 속 | 에 | 맹 | 꽁 | 이 | 가 | 울 | 어 | 재 | 키 | 네 |

F

C₇

F

| 맹 | 꽁 | 맹 | 꽁 | 맹 | 꽁 | 맹 | 꽁 |

## からす蛙

お池の　メンコンイが　ないている

メンコン　メンコンメンコン　メンコン

少しゆっくり
輪唱

김영수　作詞
홍난파　作曲

# 여 름
（ヨ）（ルム）

1. 바구니끼 고서 도라지캐 러간 누나는 웬 일로 안오실가요
パグニキ ゴソ トラジケ ロガン ヌナ ヌンウェンニル ロ アノシルカ ヨ

2. 은하수별 들이 물결을치 는데 마을간 언 니는 왜안올 까요
ウナスピョル ドゥリ ムルキョルウルチ ヌンデ マ ウルカンオン ニ ヌンウェ アノルカ ヨ

1. 랄 라라라라라 랄라라라 라 바둑이데 리고 찾아갈 까
ラル ララララララ ラルララ ラ パドゥギテ リゴ チャジャ ガルカ

2. 랄 라라라라라 랄라라라 라 큰언니손 잡고 찾아갈 까
ラル ララララララ ラルララ ラ クンオンニ ソン ジャプ コ チャジャ ガルカ

# 夏

1. かごをかかえ　ききょう　つみに
ヌナは　なぜに帰らぬ
ラルララララ　ラルララララ
パドゥギつれて　さがそう

2. 天の川の　星が　ゆらぎ
里の　ヌナは　帰らぬ
ラルララララ　ラルララララ
たずねいこう　クンオンニと

●ヌナ(弟からの姉)　●パドゥギ(ぶちの犬)　●クンオンニ(妹からの大きな姉・年上の姉)

# 옥수수 하모니카

(オクスス　ハモニカ)

윤석중　作詞
홍난파　作曲

ふつうのはやさ

우리아기 불고노는 하모니카는

옥수수를 가지고서 만들었어요. 옥수수알

길게두줄 남겨가지고 우리아기 하모니카

불고있어요. 도레미파솔라시도 소리가안

나, 도미솔도 도솔미도 말로하지요.

## とうもろこしのハモニカ

赤ちゃんがふく　ハモニカは
とうもろこしで　つくったの
きれいに　二列をたべのこし
赤ちゃん　ハモニカ　ふいてます
ドレミパ　ソルラシド　音がでない
ドミソルド　ドソルミド　言ってます

## 산 바람 강 바람

ふつうのはやさ

윤석중 作詞
박태현 作曲

1. 산 위에서 부는바람 서늘한바람
   그 바람은 좋은바람 고마운바람
   여름에 나뭇군이 나무를할때
   이마에 흐른땀을 씻어준대요

2. 강 가에서 부는바람 시원한바람
   그 바람도 좋은바람 고마운바람
   잠자는 뱃사공을 배에태우고
   혼자서 나룻배를 저어간대요

## 山かぜ 川かぜ

1. 山ふくかぜは　すずしくて
   めぐみのかぜよ　よいかぜよ
   夏に　木こりのおじさんの
   ひたいのあせを　はらいます

2. 川ふくかぜは　さわやかで
   めぐみのかぜよ　よいかぜよ
   いねむりしている　船どうさんを
   のせたお舟を　走らせる

# 나뭇잎 배

朴洪根 作詞
尹竜河 作曲

낮에 놀다 두―고온 나 뭇잎 배는 ―

엄마곁에 누―워도 생 각이 나요 ―

푸른 달과 흰―구름 둥―실떠―가 는 ―

연못 에서 사―알살 떠 다―니 겠―지―

## 木の葉の舟

お池であそんだ　木の葉舟　　月影　青い　はす池に
かあさん　そいねの　夢のなか　　ゆうらり　さびしく　うかんでる

# 고기잡이

尹克栄　作詞・作曲

## 魚とり

1. さかな　とりに　海へ　ゆこうか
   さかな　とりに　川へ　ゆこうか
   びんに　いっぱい　いれたなら
   ラララ　ラララ　かえろ

2. サササ　シシシ
   かわいい　びんに
   ソンセンニム　見せに　もってゆこうよ
   ラララ　ラララ　アンニョン

〔1926年作〕

앞으로

前へ

前へ　前へ　前へ　前へ
地球はまるいから　歩いていけば
世界の子どもと　出会えるだろう
世界の子どもが　ハハハハ笑ったら
その声ひびく　月の国まで
前へ　前へ　前へ　前へ

17

少しゆっくり

モ レ ソン
# 모 래 성

朴洪根 作詞
権吉相 作曲

1. 모 래 성 이 차 례 로 허 물 어 지 면 ―,
2. 밀 려 오 는 물 결 에 자 취 도 없 이 ―,

아 이 들 도 하 나 둘 집 으 로 가 고 ―,
모 래 성 이 하 나 둘 허 물 어 지 고 ―,

내 가 만 든 모 래 성 이 사 라 져 가 니 ―,
파 도 가 어 두 움 을 실 어 올 때 에 ―,

산 위 에 는 별 이 홀 로 반 짝 거 려 요 ―.
마 을 에 눈 호 롱 불 이 곱 게 켜 져 요 ―.

すな          しろ
## 砂 の お 城

砂のお城が　くずれゆき
子どもは　ひとり　ふたりかえる
私のお城が　消えるころ
         ほし かげ
山に　星影　きらめくよ

18

# 아침이슬

김민기 作詞・作曲

8 Beat (Meadium)

긴 밤 지새우고 풀잎마다 맺힌 진

주 보다더 고 一운아 침이슬처一럼 내

맘 에서름이 알 알이맺힐때 아

침 동산에 올 一라작 은 미소를배운 다

태양은 묘 지 위에붉 게 떠오르 고 한낮

에 찌는더위 는 나의시 런일지라 나

이 제가노 라 저 거친광야 에 서

러 움모두 버 리고나 이 제가노 라

朝　　露
（あさ）（つゆ）

夜もすがら
結んだ露
真珠よりひかる
朝露のよう
わが悲しみ
涙にむすぶ
朝裏山で
ほほえみ習う
太陽は
友の墓の上に
真昼の暑さは
私の試練
いざ行こう
遠い荒野へ
悲しみ捨てて
いざ行こう

# 우리의 소원

ウ リ エ ソ ウォン

安 錫柱 作詞
安炳遠 作曲

少しゆっくり

*mp*

**ウ リ エ ソウォヌン トン イル、クム メ ド ソウォヌン トン ー イル. イ**
우 리 의소원은 통 일, 꿈에도소원은 통 ー일. 이

**チョン ソンタ ヘ ソ トン イル、トン イルル イ ル ジャ ー イ**
정 성다해서 통 일, 통일을이루자 ー. 이

**キョ レ サルリ ヌン トン イル、イ ナ ラ チャンヌンデ トー ン イル トン**
겨 레살리는 통 일, 이나라창는데 통 ー일. 통

**イ ル イ ヨ オ ソ オ ラ、トン イ リ ヨ オ ラ ー**
일 이여어서 오 라, 통일이여 오 라 ー.

## わたしたちの願い

わが願いは統一
夢にみるは統一
心あわせ統一
統一なそう
民族の願い統一
国をあげて統一
統一早くこい
統一なそう

《解説》 1947年の韓国の童謡で、朝鮮半島全体だ
けでなく、日本をはじめ広く歌い継がれています。

과수원길

作詞 朴和穆
作曲 金公善

동 구 밖 과 수 원 길 아 카 시 아 꽃 이 활 짝 폈 네 —

하 이 얀 꽃 이 — 파 리 눈 송 이 처 럼 날 — 리 네 —

향 긋 한 꽃 냄 새 가 실 바 람 타 고 솔 솔 —

둘 이 서 말 이 없 네 얼 굴 마 주 보 며 쌩 끗 — 아 카 시 아 꽃

하 얗 게 핀 먼 옛 날 의 과 수 원 길 — 과 수 원 길 —

## 果樹園の道

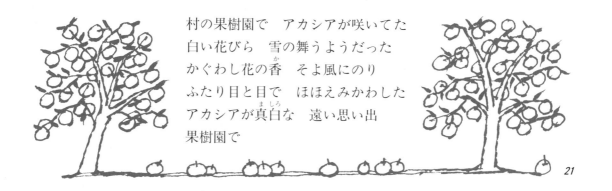

村の果樹園で　アカシアが咲いてた
白い花びら　雪の舞うようだった
かぐわし花の香　そよ風にのり
ふたり目と目で　ほほえみかわした
アカシアが真白な　遠い思い出
果樹園で

21

# 도레미 노래

外国曲

**ドレミの歌**

●意味

| | |
|---|---|
| ド は 白いトラジ | ラ は ラジオ |
| レ は まるいレコード | シ は さらさら小川 |
| ミ は 青いせり | みんなで いっしょに歌おうよ |
| ファ は かわいい青い鳥 | みんなで たのしくかわいい歌を |
| ソ は 小さな松ぼっくり | 歌おうよ |

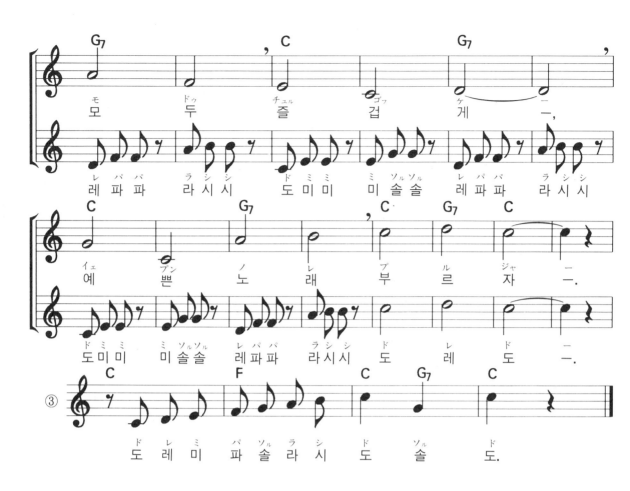

リッチャ ロ クンナヌン マルン トゥリムノレ
릿자로 끝나는 말은 —돌림노래— 順おくりうた

**語尾に「リ」のつくことば遊び（輪唱）**

●クェナリポタリ（腰や背にくくりつけるようくるんだふろしき包み）　●クェコリモッソリ（うぐいすの声）
●テッサリソクリ（萩や竹で作ったざる）　●ケナリウルタリ（れんぎょうの垣根）
●ユリハンアリ（がらすのつぼ）　●オリハンマリ（あひる一羽）

# 고향의 봄　故郷の春

洪蘭坡　作曲
神出有光　編曲

コ　ヒャン　エ　　　ポム

# 아 리 랑 アリラン

（ア　リ　ラン）

民　謡
柳在政　編曲

少しゆっくり

メロディー
オブリガート
（対旋律）
リ ズ ム
バ　ス
打 楽 器

● メロディーとオブリガート(対旋律)、リズムの分担を I コーラスごとに
変えて楽しく演奏しましょう。

27

メロディーとオブリガート(対旋律)、リズムの分担を1コーラスごとに
変えて楽しく演奏しましょう。

## 반굿거리 장단 (パンクッコリチャンダン)

基本型 / 変型

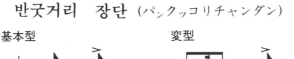

## チャンダン(長短)

民族固有のリズムパターンで、民族音楽の
特性をいかす上で欠かせない重要な表現手段
です。音楽の流れを速さと強弱、長さなどの
多様な変化で独特に特徴づけています。

## チャンゴのリズム

옹헤야 (안땅) 장단 (オンヘヤ〈アンタン〉チャンダン)

반굿거리 장단 (パンクッコリチャンダン)

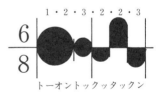

중모리 장단 (チュンモリチャンダン)

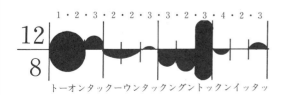

세마치(양산도) 장단

(セマチ〈ヤンサンド〉チャンダン)

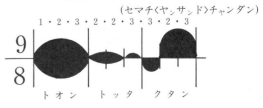

(たて軸は音の大きさ、よこ軸は音の長さを表わします)

やや はやく　　　　　바둑이　방울　小犬の鈴　　　　　金圭煥　作曲
　　　　　　　　　　　　パ ドゥ ギ　パン ウル　　　　　　柳井　莞爾　編曲

● オルガンはアコーディオンで演奏してもよい。
● 鈴と木琴はもちかえ演奏できます。

# 앞으로 前 へ

이수인 作曲
柳井莞爾 編曲

木　琴
バ ス 木 琴

ティムパニー

木　琴
バ ス 木 琴

ティムパニー

小 太 鼓
大 太 鼓

●上段の大譜表は、リコーダーやアコーディオンで演奏します。
●ティムパニーのない時は、大太鼓で代用します。

33

# 파란 마음 하얀 마음

## 青い心　白い心

1. 心に色が　あるのなら
　　夏は夏は　青い色
　　山も林も　青い葉が
　　青く　青く　いちめんに
　　青い空みて　育ちます

2. 心に色が　あるのなら
　　冬は冬は　白い色
　　山も林も　白い雪
　　白く　白く　いちめんに
　　きれいな心で　育ちます

# 시냇물

시 ネン ムル

이종구 作詞
권길상 作曲

少しゆっくり

1. 냇물아 흘러흘러 어디로가니,
2. 강물아 흘러흘러 어디로가니,

강물따라 가고싶어 강으로간다.
넓은세상 보고싶어 바다로간다.

## 小川の水

1. 小川さらさら　どこへいく
   大きな河に　ついていく

2. 河の流れよ　どこへいく
   広い世界を　見に海へ

36

少しゆっくり

# 반　달

尹克栄　作詞・作曲

프른하 늘은一 하수 하얀쪽배엔一,

계 수나 무한一나무 토끼한마리一.

돛 대도 아니달고 삿 대도 없이一,

가 기도잘도간다서一쪽나라로一.

## 半　月

青い夜空の　白い舟
兎と桂木　乗せていく
帆もない　棹もないけれど
西の国へ　進みゆく

〔1925年作〕

2. 은하수를 건너서 구름나라로
　　구름나라 지나서 어디로가나
　　멀리서 반짝반짝 비추이는건
　　샛별 등대란다 길을 찾아라

# 고향의 봄

(コヒャンエ ポム)

李元壽 作詞
洪蘭坡 作曲

少しゆっくり

1. 나의살—던 고향은 꽃피는산—골
2. 꽃—동—네 새동네 나의옛고—향

복숭아꽃 살구—꽃— 아기진달—래
파—란들 남쪽—에서 바람이불—면

울긋불긋 꽃—대궐 차린—동—네
냇—가에 수양버들 춤추는동—네

그 속에서 놀던—때가 그립습니—다
그 속에서 놀던—때가 그립습니—다

## 故郷の春

1. わたしの故郷 花の里 ももの花 あんずの花 ひめつつじ
   赤 白 黄色の 花園で 遊んだ昔が なつかしい
2. 花咲きみだれ 鳥うたう みどりの野原に 南風
   川辺の 柳がそよぐ村 遊んだ昔が なつかしい

〔1926年作〕

《解説》1923年創刊の児童文学月刊紙「オリニ」に1926年に掲載された童謡で、民族の郷愁と童心を代表する歌として広く歌い継がれてきました。李元壽15歳の時の作詞です。

# 선구자

尹海栄　作詞
趙斗南　作曲

力強く、情熱的に

先駆者

●意味

1. 一松亭の青松は　日ごと老いゆけども
一筋　海蘭江は　千年を経て流る
過ぎし日川辺で　馬駆りし先駆者
今はいずこに　たける夢　深まりしや

3. 龍珠寺の鐘が　飛岩山に響く夕
男児の堅き心　永く刻みたり
祖国を取り戻さん　誓いし先駆者
今はいずこに　たける夢　深まりしや
※朴燦鎬『韓国歌謡史』(晶文社)より
〔1933年作〕

《解説》　1933年「龍井の街」としてつくられた歌が、解放後、詩の一部を直し題も「先駆者」と改められました。中国東北地方（満州）の牡丹江近くで朝鮮独立運動に身を捧げた闘士たちの魂を慰め、光復への希望を込めてつくられたもので、多くの人に愛唱されています。

# 鳳仙花

2. 어언간에 여름가고 가을바람 솔솔불어
아름다운 꽃송이를 모질게도 침노하니
낙화로다 늙어졌다 네모양이 처량하다

〔1920年作〕

●意味

垣に咲く　鳳仙花よ
汝が姿　あわれなり
いと長き　夏の日に
美しく　花咲くころ
うるわしき　乙女ら
汝を愛で　あそべり

いつしか　夏は去り
秋風の　そよ吹きて
愛らしき　花びらを
むごくも　侵せしに
花散りて　しおれし
汝が姿　あわれなり

北風寒雪　吹き荒れ
汝が姿　消ゆるとも
平和なる　夢を見る
汝が魂　ここにあり
のどかなる　春風に
蘇れよと　いのらん

※朴燦鎬『韓国歌謡史』(晶文社)より

《解説》　　３・１独立運動の翌年、東京音楽学校を中退し帰国していたバイオリスト洪蘭坡(永厚)のつくった曲に、朝鮮洋楽界の有名な金亨俊が詩をつけた。秋に枯れゆく鳳仙花に、踏みにじられた祖国の姿を、種子が飛び散り春風によみがえる花に祖国独立の希望を託しています。民族の心を格調高く歌いあげたこの歌は人々に愛され、現在も広く歌い継がれています。

# 한글 노래　ハングルの歌

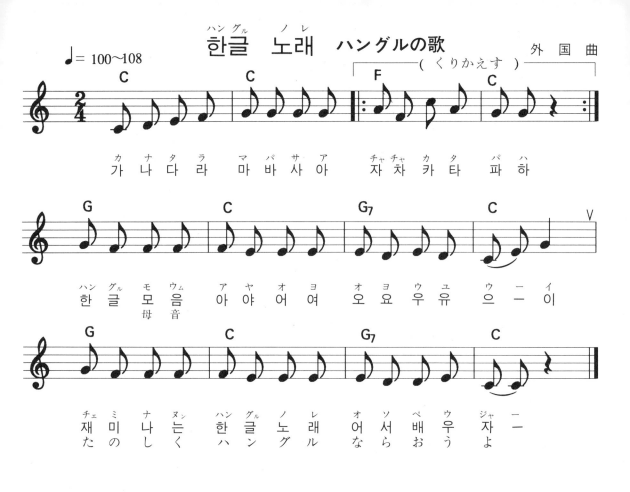

● 日本の子どもたちにハングルを教えるためにつくりました。

# 私のアリラン峠

想いをこめて 幻想的に　(♩ = 100)

南範子　作詞
李　賢　作曲

ひとりふし ─　ゆめにみる　アリランとう げー　は

こおり ─に ─ とざさ ─れ　ひとをよせつけ ぬ

ゆけどもゆけども　ゆきふかく ─　こごえるからだに　もえるここ ─ ろ

まろびつ ─つ ─　みあげれ ば　とうげは は る ─ か

れ　は る を ま と う　は る を よぼ う

2. 想い出は　果てしなき　アリラン峠よ
　　越え行けば　ふるさと　柳にそよぐ風
　　明るい　日ざしに　照り映える
　　菜の花畑が　広々と
　　たわむれ　遊んだ　幼い日は遠く

3. 夢にみる　私の　アリラン峠よ
　　雪が溶け　つつじの　花咲き乱るころ
　　炎の旗を　ひるがえし
　　私はアリラン峠をこえる
　　待っていておくれ　待っていておくれ

　　春を待とう　春を呼ぼう

《解説》　日本に定住する朝
鮮人と日本人が協
力してつくった歌で、はるか故
郷の峠によせて望郷の心を歌っ
たものです。

# 천안 삼거리
チョナン　サムゴリ

民謡

ややはやく

천안－삼 거리 흥 ＝＝＝ 능수야버들은 흥 ＝＝,
チョナンーサム ゴリ フ ーーン ヌンス ヤポドゥルン フ ーン

제멋 에겨 －워서 ＝＝＝ 축늘어졌 구나 흥 ＝.
チェモ セキョ ーウォ ソ ーーー チュンヌロジョック ナ フ ン

에 루아에 루아 흥 ＝＝＝ 성화가났 구나 흥 ＝＝.
エ ルアエ ルア フ ーーン ソンファ ガ ナック ナ フ ーン

## 天安三差路

天安三巨里　フン　柳そよそよ　フン
気のむくまま　ゆれてチョックナ　フン
エルア　エルア　フン　ソンファガ　ナックナ　フン

2. 은하작교가흥　다무너졌으니흥
　건너나갈이　막연하구나흥
　에루와에루아흥　성화가났구나흥

3. 오동동추야에흥　달이동동밝은데흥
　님의동동생각이　새로동동나구나흥
　에루와에루아흥　성화가났구나흥

### 반굿거리　장단
(パンクッコリチャンダン)

基本形

右手
左手

f　mp

44

## 밀양아리랑
ミ リャンア リ ラン

♩ = 90

날좀보소 날좀보소 날 좀보소
ナルチョム ボーソ　ナルチョム ボーソ　ナル チョムーボーソ

동지섣달 꽃본듯이 날좀보소
トンジ ソッタルー　コッポン ドゥーシー　ナルージョムーボーソ

아리아리랑 쓰리쓰리랑 아라리가났네
ア リ ア リ ラン　スリ スリ ラン　アラ リ ガ ナーンネ

아 리랑 고 개 로 날 넘 겨주 소
ア リ ラーン コ ゲーロー ナルーノム ギョジュ ソ

## 密陽アリラン

● 意味

ちょっと見て　ちょっと見て　私を見てよ
冬至の11、12月に　花を見るように　私を見て
(くり返し)　アリアリラン　スリスリラン　アラリガナンネ
アリラン峠を越えさせて

2. 영남루 명승을 찾아가니, 아랑의 애화가 전해있네.
3. 저 건너 대 숲은 의의한데, 아랑의 서른 넋이 애달프다.

## 세마치(양산도) 장단
(セマチ〈ヤンサンド〉チャンダン)

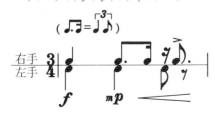

《解説》　アリランは、各地方ごと
に歌詞や旋律のちがう地
方色豊かなものがあり、これは慶尚南
道に伝わるアリランです。11月、12月
の冬の最中に花を見るように自分を見
てほしい、という天真爛漫な歌詞に軽
快なメロディーで、広く愛唱され、歌
い伝えられてきた歌です。

別の歌詞には、片思いの若者に殺さ
れた嶺南桜「阿娘(アラン)」の伝説を歌ったもの
などがあります。

八景歌

エー金剛山 一万二千
奇岩絶景
漢拏山高いよ
世俗はなれて

エヘラチョクナチョッタ チファジャ
チョクナチョッタ

一度はおいでよ
自慢の山だよ

〔1934年作〕

《解説》
　戦前、朝鮮半島は8つの道(県)にわかれていました。この歌はお国自慢の新民謡で、大ヒット曲です。

안땅 장단 (アンタン チャンダン)

(4/4では2小節分になります)

# 아 리 랑
<sup>ア</sup> <sup>リ</sup> <sup>ラン</sup>

少しゆっくり

民 謡

ア　リ ラン ― ア　リ ラン ― ア　ラ ― リ ― ヨ ― ―
아　리 랑 ― 아　리 랑 ― 아　라 리 요 ―

ア　リ ラン コー ゲー ロー ノ モ カン ダ
아　리 랑 ― 고 개 로 ― 넘 어 간 다

ナ ― ルル ポ リ ゴ カ シ ヌン ニー ム ― ― ン
나 ― 를 버 리 고 가 시 는 님 ― 은 ― ―

シーム ニ ドー モー ッカー ソー パール ピョンナン ダ
십 리 도 ― 못 ― 가 서 ― 발 병 난 다

## アリラン

アリラン　アリラン　アラリヨ　アリラン峠を<sub>とうげ</sub>　こえて行く
わたしを捨てて<sub>す</sub>　行く君は<sub>きみ</sub>　一里も行かずに　足が痛む<sub>いた</sub>

《解説》　朝鮮民謡の代表曲として世界的に知られる「アリラン」は、地方によって歌詞や旋律に違いがあります。一般に歌われているこの曲は、1926年にヒットした羅雲奎主演監督の映画「アリラン」の主題歌として有名になりました。日本の植民地支配への抵抗の精神を込めて歌われ、一時は禁止曲となりました。
　アリラン峠は架空の峠ですが、現在、ソウルやほかの地域にもアリラン峠と呼ばれるところがあります。前半の2節「～ノモカンダ」までを全員が歌い、後半は一人ずつ自分の創作歌詞を披露して楽しみました。

# 도 라 지
（トラジ）

♩=128　　民謡

トラジ トラジ 도라지 도라지도 도 라 지<br>
シム シム サン チョ ネ ペク ト ラ ジ<br>
심－심－ 산－천에－백 도 라 지<br>
ハン ドゥ プリ マ ー ン ケ ヨ ー ド ー<br>
한 두 뿌리만 － 캐 어(여) 도 －<br>
テ バ グ ニ エ ス リ サル サル タ ノム ヌン ダ<br>
대 바 구 니 에 스 리 살 － 살 － 다 넘 는 다<br>
エ ー ヘ ー ヨ ー エ ー ヘ ー ヨ ー エ ヘ ー ヨ ー<br>
에 － 헤 － 요 － 에 － 헤 － 요 － 에 헤 － 요 －<br>
オ ヨ ラ ナ ー ンダ チ ファ ジャ ー チョッ タ<br>
어 여 라 난 － 다 지 화 자 － 좋 － 다<br>
ネ ガ ネカンジャンウル スリ サル サル タ ノ ギン ダ<br>
네 가 내간장을 스 리 살 － 살 － 다 녹 인 다

## トラジ

トラジ トラジ トラジ<br>
深山（みやま）に 咲（さ）いた ペクトラジ<br>
ひとつ ふたつ つみましょう<br>
かごに かおりが あふれる<br>
エーヘーヨー<br>
エーヘーヨー<br>
エーヘーヨー<br>
オヨラ ナンダ<br>
チファジャ チォッタ<br>
君（きみ）は 心（こころ）を 熔（と）かすよ

● トラジ（ききょう）<br>
● オヨラ ナンダ チファジャ チォッタ<br>
（えんやら こらや）

## 중모리 장단
（チュンモリチャンダン）

右手 12/8<br>
左手 8<br>
f　mp　mf

（¾ の時は 4 小節分です）

**《解説》** 京畿道地方の民謡。春になると女たちは籠（かご）を持って食用にする桔梗（ききょう）の根や山菜を採りに野山に出かけます。日常は家で仕事をする若い娘たちが、牛飼いなどと出会う機会でもあり、そんな桔梗掘りの様子を明るく歌っています。「アリラン」と同じく五音階「ソラドレミ」で歌われます。

백두산
(ペクトゥサン)

少しゆっくり

ペクトゥサヌン チョソネ チェイルノップンサン
백두산은 조선의 제일높은산

クルムウエ ソサインヌン チェイールノップンサン
구름우에 솟아있는 제일―높은 산

## ペクトゥサン（白頭山）

ペクトゥサンは 雲に そびえたつ

朝鮮一の 高い山

少しゆっくり

# 색동 저고리
セクトン チョゴリ

内가 입은 저고리 색동 저고리
アローン アローン ムジゲ チョンマルコワヨ
공장에서 돌아오신 아빠 앞에서
당실당실 춤을 추며 나비같애요

## セクトンチョゴリ

わたしのチョゴリ　セクトンチョゴリ
七色にじの　きれいなチョゴリ
仕事をおわった　とうさんに
タンシル　タンシル　おどってみせましょう

●セクトンチョゴリ（上着の袖に美しいしまもようのある子どもの晴着）
●タンシルタンシル（ひらひら）　●チョゴリ（女性の上着）

# 금강산의　목란꽃

クムガンサネ　　　モンランコッ

歌劇「金剛山の歌」より

♩= 96

フィン ヌン ポ　ダ ハ ヤン コッ　クム ガン サ　ネ モン ラン コッ
1. 흰 눈 보 다 하 얀 꽃　금 강 산 의 목 란 꽃

ア ボ ジ　ガ シ モ ジュン　ウ リ チ　ベ モン ラン コッ
2. 아 버 지 가 심 어 준　우 리 집 의 목 란 꽃

ウ リ チ　ベ ピ ジ ヨ　コプ ゲ コッ ケ ピ ジ ヨ
우 리 집 에 피 지 요　곱 게 곱 게 피 지 요

パン シル パン シル ウッ チ ヨ　ナ ルル ポ ゴ ウッ チ ヨ
방 실 방 실 웃 지 요　나 를 보 고 웃 지 요

## 金剛山の木蘭

1. 雪より白い　金剛山の　モンランコッ
　 わが家に咲くよ　きれいな花よ

2. とうさんの植えた　わが家のモンランコッ
　 にこにこ笑う　私に笑う

　●モンランコッ(オオヤマレンゲの花)

歌劇《金剛山の歌》の解説

　朝鮮が解放される前に日本の警察につかまっていた父と、別れ別れになっていた母と娘が、20年ぶりにその父とめぐりあいます。
　この歌は、金剛山のふもとで育った娘が、美しい自然と、解放されて豊かになった生活を歌ったものです。

# 저고리가　좋아요
チョゴリガ　チョアヨ

리금옥　作詞
리순애　作曲

## チョゴリが好きよ

1．そよそよ風に
チョゴリのリボン
走ればゆれるよ
蝶（ちょう）ちょのように
わたしは好きよ
チョゴリが好きよ

2．小いぬもわんわん
わたしといっしょに
チョゴリがすてき
ほんとに好きよ
わたしは好きよ
チョゴリが好きよ

《解説》
在日朝鮮人がチョゴリを着た子どもたちの様子を見て作った曲です。

# 조선의 노래

## 朝鮮のうた

朝の光　鮮やかな国
それで　その名を　朝鮮とよぶよ
平和で　これほど　うるわしい国
この世に　ひとつ　われらが朝鮮

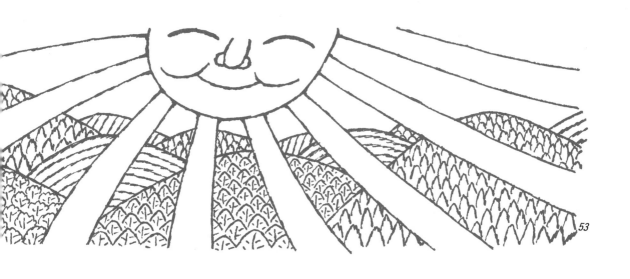

53

# 종달새
チョン ダル セ

少しはやく

**C**　　　　　　　　　　　　　　　　　　　　**G₇**　　　　　**C**

1. 쪼로롱 쫑 쫑 종 달 새　　쪼로롱 쫑 쫑 종 달 새
チョロロン チョン チョン チョンダルセ　チョロロン チョン チョン チョンダルセ

2. 쪼로롱 쫑 쫑 종 달 새　　쪼로롱 쫑 쫑 종 달 새
チョロロン チョン チョン チョンダルセ　チョロロン チョン チョン チョンダルセ

**Dm**　　　　　　　　　　　　**C**　　　　　　**F**　　**G**

찰 랑 찰 랑 맑은 물　　수 로 길 이 좋구 나
チャル ラン チャル ラン マル グンムル　ス ロ キ リ チョック ナ

와 릉 와 릉 뜨락 뜰　　길 마 중을 해 주 자
ワ ルン ワ ルン トゥ ラクトゥル　キル マ ジュンウル ヘ ジュ ジャ

**F**　　　　　　**C**　　　　**C**　　**G**　　**G₇**　　**C**

쪼로롱 쫑쫑 종 달 새　　쪼로롱 쫑 쫑 종 달 새
チョロロン チョンチョン チョン ダル セ　チョロロン チョン チョン チョンダルセ

쪼로롱 쫑쫑 종 달 새　　쪼로롱 쫑 쫑 종 달 새
チョロロン チョンチョン チョンダルセ　チョロロン チョン チョン チョンダルセ

## ひ ば り

1. チョロロン　チョンチョン　ひばり
　 チョロロン　チョンチョン　ひばり
　 さらさら　　小川　畑でチョックナ
　 チョロロン　チョンチョン　ひばり
　 チョロロン　チョンチョン　ひばり

2. チョロロン　チョンチョン　ひばり
　 チョロロン　チョンチョン　ひばり
　 ブルルン　トラクター　むかえにゆこか
　 チョロロン　チョンチョン　ひばり
　 チョロロン　チョンチョン　ひばり

チュル ノム ギ
# 줄 넘 기

## なわとび

1. くるくるまわせ　早くまわせ
　こっちみてにっこり　あっちみてにっこり
　ひいふう みいよう　5つとんで出よう

2. 小犬もおいで　子猫もおいで
　こっちみてモンモン　あっちみてヤウン
　ひいふう みいよう　5つとんで出よう

# 돈돌라리

民謡

ポ ベ ー サン チョ ネ トンドゥル ラ リ ヨ
보 배 ー 산 천 에 돈 돌 라 리 요

トンドゥル ラ リ トンドゥル ラ リ トンドゥルー ラ リ ヨ ー
돈 돌 라 리 돈 돌 라 리 돈 돌 ー 라 리 요 ー

リ ラ ー リ ラ リ トンドゥル ラ リ ヨ
리 라 ー 리 라 리 돈 돌 라 리 요

● ポベ サンチョネ (宝物あふれる山川)
● トンドゥルラリ (かけ声)

56

리<sub></sub> ジン ガン

# 림 진 강

박세명 作詞
고종환 作曲

叙情的に ♩ = 80

**G** / **C** / **G** / **Bm** / **Em** / **G**

リム ジン ガンマルグンムー ルン フルロ フル ロネーリー ゴ ムル
림 진 강맑은물 은 흘러 흘 러내ー리ー 고 물

**C** / **G** / **Bm** / **C** / **G**

セ ドゥルチャ ユロー ヒ ノムナ ドゥル ミョナル ゴーン マー ンネー
새 들자유로ー 히 넘나 들 며날ー건ー 만ー 내

**Em** / **G** / **Em** / **D7**

コ ヒャンナーム チョーク ターン カゴ パ ドモーッ カー ニ リーム
고 향남ー쪽ー 땅 가고 파 도못ー가ー 니 림

**f** **G** / **Bm** / **C** / **mp** **D7** / **G**

ジン ガンフー ルー マ ウォナン シッ コフ ルヌ ニャ
진 강흐ー름ー 아 원한 싴 고흐 르느 냐

## リムジンガン

リムジンガン　水清く
静かに流れ
水鳥　気ままに
川　よぎり　とびかうも
南の故郷へ　行くに行かれぬ
せつない　この想い
つたえておくれ

57

## 友　よ

友よ　歌を歌おうよ
たがいにふるさと　ちがえども
わが祖国の　青い空の
下で生きる　われらきょうだい

2. 헤여지면 그립고 만나면 정다운
   사랑하는 동무여 나의 벗이여
   세월은 흐르고 산천은 변해도
   우리의 우정은 가릴수 없다네.

## 어린 동무 노래부르자

オ リン トンム ノレ プルジャ

明るく ♩ = 106

1. 자　유의　강산에서　우리자라고
   チャ　ユ エ　カン サ ネ ソ　ウ リ チャ ラ ゴ
2. 창　공에　붉―은해　찬란한그빛
   チャン　ゴン エ　プール ― グン ヘ　チャル ラ ナン ク ピッ

1. 평―화의　락원에서　꽃피려하는
   ピョーン ― ファ エ　ラ グォ ネ ソ　コッ ピ リョ ハ ヌン
2. 창―공에　밝―은달　명랑한그빛
   チャーン ― ゴン エ　パール ― グン タル　ミョン ラン ハン ク ピッ

1. 새―나라　어린동무　노래부르자고
   セ ― ナ ラ　オ リン トン ム　ノ レ プ ル ジャ ゴ
2. 바다에는　별―들이　꼬리쳐놀고
   パ ダ エ ヌン　ピョール ― ドゥ リ　コ リ チョ ノル ゴ

세―상에　부러울것　그무엇이냐
セ ― サン エ　プ ロ ウル コッ　ク ム オ シ ニャ
푸른들엔　양떼들이　무리져논다
プ ルン トゥ レン　ヤン テ ドゥ リ　ム リ チョ ノン ダ

## 歌おう　幼い友よ

1. 自由の国で　育つわれ
   平和の園で　花ひらく
   声をそろえて　歌おうよ
   われらの誇り　かぎりなく

2. 嶺に輝く　赤い陽よ
   明るい月も　美しく
   海には　星がキラキラと
   野には　羊がむれ遊ぶ

# 우리 엄마 기쁘게 한번 웃으면

（ウリ　オムマ　キ プゲ　ハンボン　ウスミョン）

歌劇《血の海》より

## かあさん
## たのしく笑ったら

1. かあさん　楽しく笑ったら
   雲間のお陽さま　にっこりし
   かあさん　楽しく笑ったら
   そろって咲くよ　野の花が
   苦労をかさねた　かあさんが
   笑えば　わが家に花が咲く

2. 光をさえぎる　雲がきえ
   荒野に　花が咲く日には
   かあさん　歌をうたいましょ
   自由の旗が　ひるがえる
   苦労をかさねた　かあさんが
   笑えば　わが家に花が咲く

### 歌劇《血の海》の解説

1930年頃、中国の東北地方（旧満州）に住んでいた朝鮮の農民たちは、祖国の独立のために闘いつづけました。

この歌は、主人公の娘さんが闘っている母を歌ったものです。

ややはやく 明るく ♩＝126

ウリオ ム マ キ ブ ゲ　／　ハンボン ウスミョン　／　クルムソ ゲヘンニ ム ド　／　パン グッウッ コ ヨ
우리엄마기쁘게　한번웃으면　구름속의해님도　방긋웃고요

チョ ハ ヌ レクルミ　／　カ シ ヨ ジ ゴ　／　トゥルパ ネ ヌンコット ゥ リ　／　ピヨ ナ ヌンナル
저하늘에구름이　가시여지고　들판에는꽃들이　피여나는날

ウリオ ム マ チュルゴッケ　／　ハンボン ウスミョン　／　アルム ダウンコット ゥ ルド　／　ピ ヨ ナムニ ダ
우리엄마즐겁게　한번웃으면　아름다운꽃들도　피여납니다

チャユ キッパ ルナ ルリ ヌン　／　トン リ ベ ア チム　／　ウリオムマ ノ レ ルル　／　ブルゲッ テ ヨ
자유기발날리는　독립의아침　우리엄마노래를　부르겠대요

コ　センソゲ　サラオ─シン　ウ リオ　モ─ニ
고 생 속에　살아오─신　우 리어 머─니

コ　センソゲ　サラオ─シン　ウ リオ　モ─ニ
고 생 속에　살아오─신　우 리어 머─니

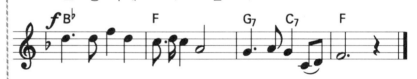

ウ　ス シミョン　オンチ バ ネ　ゴ チピム ニ─ダ
웃 으시면　온집안에　꽃 이핍니─다

ウ　ス シミョン　オンチ バ ネ　ゴ チピム ニ─ダ
웃 으시면　온집안에　꽃 이핍니─다

# 꽃파는 처녀
### コッパ ヌン　　チョ ニョ

歌劇《花を売る乙女》より

## 花を売る乙女

1. <ruby>コッサ<rt></rt></ruby>シオ　コッサシオ　オーヨプン　パルガンコッ
   꽃사시오　꽃사시오　어一여쁜　빨간꽃
2. サンキスルゲ　コッケピヌン　アルムダウン　チンダルレ
   산기슭에　곱게피는　아름다운　진달래

1. この花売ります　赤い花を
   かおりも　ほのかな赤い花よ
   病いにたおれた　母さんのため
   買ってください　この花を
2. 谷間にさいた　美しいチンダルレ
   春のたよりよ　杏の花は
   この花売ります　この花買えば
   あなたの胸にも　春風そよぐ

●チンダルレ(つつじ)

ヒャンギロッコ　ピッカルコウン　アルムダウン　パルガンコッ
향기롭고　빛갈고운　아름다운　빨간꽃

サンキスルゲ　ピヨナヌン　ヨンブノンピッ　サルグコッ
산기슭에　피여나는　연분홍빛　살구꽃

アルルンオムマ　ヤククハリョ　チョンソンタマ　カクンコッ
앓는엄마　약구하려　정성담아　가꾼꽃

コッサシオ　コッサシオ　イーコッチュル　サシミョン
꽃사시오　꽃사시오　이一꽃을　사시면

コッサシオ　コッサシオ　イコッイコッ　パルガンコッ
꽃사시오　꽃사시오　이꽃이꽃　빨간꽃

ソルムマーヌン　カスメド　セポムピッチ　アンギョヨ
설음많은　가슴에도　새봄빛이　안겨요

---

### 歌劇《花を売る乙女》の解説

　朝鮮が植民地であった頃、地主とあらそった兄はつかまり、母は地主の下女となって、娘二人を育てるのですが、病気になってたおれます。母の薬を買うため、姉娘は山の花をつんできて売りあるくときの歌です。

61

# 사 랑 가
(サ ラン ガ)

백인준 作詞
성동춘 作曲

サ ラン サ ラン ネ サ ラン ア ー
사랑 사 랑 내 사 랑 아 ー

ク オ ディ ソ コッ ピ ヨン ー ナ ー
그 어 디 서 꽃 피 였 ー 나 ー

カ スム ソ ゲ キット ゥン サ ラン
가 슴 속 에 깃 든 사 랑 ー

ナ ド モル レ ピ ヨ ナン ネ ー
나 도 몰 래 피 여 났 네 ー

タ ル ニ ム ー ド ポ ル セ ー ラ
달 님 ー 도 볼 세 ー 라

ピョル ー ニ ム ド ポ ル ー セ ラ ー
별 ー 님 도 볼 ー 세 라 ー

モル レ モル レ ピ ヨン ネ
몰 래 몰 래 피 였 네

カ ス ム キ ピ ヒ ヨン ネ
가 슴 깊 이 피 였 네

ネ サ ー ラン ー イ ヤ ー
내 사 ー 랑 ー 이 야 ー

ア
아

チョン ニョン カ ド ネ サ ラン
천 년 가 도 내 사 랑

マン ニョン カ ド ネ サ ラン
만 년 가 도 내 사 랑

ク ド ン ー ヌ ー ン サ ラン ー
끝 없 ー 는 ー 사 랑 ー

## 愛 の 歌 (映画「春香伝」より)

私の心に　いずこで咲いたか
胸にせまる愛　知らぬ間に咲いた
月も星も　見ているでしょう
ひっそり咲いた　わたしの胸に
わが愛よ　あ———
いついつまでも　とわにかわらぬ
限りない愛

# 경치도 좋지만 살기도 좋네

明るく ♩.=60

キョン チ ド　チョッ チ マン　サル ギ ド　チョン ネ

Dm / Gm / A7

경 치 도　좋 지 만　살 기 도 좋　네
조 선 의　슬 기 론　기 상 을 안　고

Dm / Gm / Dm

금 강 산　골 안 에 는　보 물 도 많　네
만 이 천　봉 우 리　높 이 솟 았　네

F / B♭ / C7

비 로 봉　밑 에 선　산 삼 이 나　고
온 세 상　사 람 들　부 러 워 하　는

F / A7 / Dm

옥 류 동　골 안 에 는　백 도 라 질 세
금 강 산 을　노 래 하 며　우 리 산 다 네

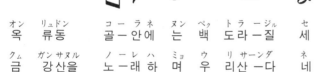

ff B♭ / F / Am / Dm

아　　인 민 의 금 강 산
아　　인 민 의 금 강 산

B♭ / F / C7 / Dm

경 치 도　좋 지 만　살 기 도 좋　네
경 치 도　좋 지 만　살 기 도 좋　네

歌劇《金剛山の歌》より

## 景色もよくて 暮らしよい

1. 景色もよくて　暮らしよい
クムガンサン谷間に　宝もの
ピロボンふもとに　山人参
オンリュドン谷間に　ペクトラジが
ああ　みんなの　クムガンサン
景色もよくて　暮らしよい

2. チョソンうるわし　山の精
マニチョン峰みね　そびえたつ
世界の人も　うらやむよ
クムガンサン歌い　暮らすのよ
ああ　みんなの　クムガンサン
景色もよくて　暮らしよい

※P.51の解説参照

●クムガンサン（金剛山：山の名）　●ピロボン（ピロ峰：峰の名）　●チョソン（朝鮮）
●オンリュドン（玉流洞：地名）　●ペクトラジ（白いききょうの花）　●マニチョン（一万二千の）

# 民族楽器

## 장구チャング
### または 장고チャンゴ（長鼓、杖鼓）

　5世紀、三国時代から宮廷音楽に使われ、その後、民踊・農楽などのリズム楽器として、人々に親しまれてきました。

　桐や松の木で筒をつくり、右側は牛の皮、左側は馬の皮がはってあります。肩からひもでつるし、右側はやや小さく高音で、竹の撥で打ち、左側はやや大きく低音で、手や撥でたたきます。

## 가야금カヤグム

　6世紀に、伽耶国の干勒という人が十二絃の琴をつくったのが、元祖だといわれています。日本の宮廷においても、9世紀末頃まで、新羅琴として親しまれていて、正倉院にも3面保存されています。現在演奏されているのは、15世紀に部分的に改良されたもので、桐でつくられています。大韓民国では十二絃と十五絃、朝鮮民主主義人民共和国では主に十三絃と十九絃が用いられています。

## 날라리ナルラリ
### または대평소テピョンソ（大平簫）

　朝鮮古来の唯一の木管吹奏楽器です。高句麗時代には軍楽に、李朝時代には宮廷のお祭りや農楽などに使われました。

　現在は改良され、独奏・合奏にも広く使われています。先の方にじょうご型の銅でできた金具がついていて、吹口の葦でできた舌（ダブルリード）で演奏します。

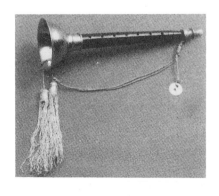